CLAWDD CAM

Clawdd Cam

Myrddin ap Dafydd

GWASG CARREG GWALCH

Argraffiad cyntaf: Hydref 2003

ⓟ *awdur/Gwasg Carreg Gwalch*

Rhif Llyfr Safonol Rhyngwladol:
0-86381-858-7

Lluniau'r clawr a thu mewn: Sarah Young
Cynllun clawr: Sian Parri

Argraffwyd a chyhoeddwyd gan Wasg Carreg Gwalch,
12 Iard yr Orsaf, Llanrwst, Dyffryn Conwy, LL26 0EH.
☎ *01492 642031*
🖷 *01492 641502*
✍ *llyfrau@carreg-gwalch.co.uk*
we: www.carreg-gwalch.co.uk

Diolch i:

– Iwan, Ifor, Geraint, Twm, Mei ac Edwin am yr hwyl a'r hwb ar y teithiau;
– Sarah Young, Mesur-y-dorth, sir Benfro am roi lluniau i'r geiriau;
– Jan Morris, am y syniad roddodd gychwyniad i 'Does dim yn digwydd yma';
– Llyfrgell Genedlaethol Cymru am gopi o boster Etholiad 1859;
– i Jên, y Ship, *Solfach am wydr gwydr yng nghanol holl blastig y Steddfod;*
– i griw'r wasg am eu gwaith a'u gofal i gyd;
– i Llio, Carwyn, Llywarch, Lleucu ac Owain am bopeth arall.

er cof am Huw Sêl

Drwy grac y pleiwýd acw, drwy uniad
di-raen ein coed lludw,
drwy sgyrsiau'r byrddau bambŵ,
daw hiraeth am bren derw.

Cynnwys

Lynx mewn sw

'Mae 'di'i cholli hi,' yw pitïo
llawer o gylch ei gell loerig o
ond down yn ôl wedyn i'w wylio:

mynd i'r dde chwe cham,
yna troi fel tram
gyda fflam yn ei lygadau fflint;
martsh anniddig, mud
o fewn conglau'i fyd,
'nôl, mlaen o hyd, o hyd ar ei hynt ...

Awn heibio'r beithon lonydd – yr eirth swrth
        a swil, y geifr mynydd
diog a'r teigr diawydd, – madfall pren
        â'i ben ar obennydd
a llewod mewn cyfarfodydd hirion,
        hirion, heb gadeirydd,

a down yn ôl wedyn i wylio'i
bawennau'n dal, dal i bendilio,
yn rhedeg y ffèg heb ddiffygio,

yn benuchel, yn hen Fandela,
yn dal at hawl, dal ati i hela
a'i dir yn Combe d'Ire tan gnwd eira,
ei nos yn dew gan newyn,
golau lloer ar sigl y llyn,
yntau ar y rhiwiau a thrwy'r rhyd
yn rhydd i fynd ar drywydd ei fyd
yn mynd, dal i fynd, yn fyw o hyd.

Clawdd cam

i ddiolch i Robert Jones am lunio cadair Tyddewi, 2002;
rhan o gynllun a gweledigaeth y gadair yw draenen ddu
sy'n mynnu tyfu yn y gwynt.

Daw'r gwynt dros swnt y dŵr gwyn
yn oesol am Lyn Rhosyn;
daw i boeri'i heli ar y briw,
procio'i fysedd i lygad heddiw
a hel yr eos o'r rhos a'r rhiw.

Wastad, hwn sy'n gwastatáu
ael y tir, fflatio'i erwau;
lluchio i'r gwter ein baneri
a rhoi rhyw waedd drwy Abereiddi
yn haerllug, sarrug at waith seiri.

Daw â'i gyrn gwlad ceidwadol
a daw i'th hel di'n dy ôl
o'r llwybr troed at goed, at gysgodion,
hel ei ewin oer drwy Gapel Non
a sgubo dan glogau esgobion.

Y gwaed sy'n plygu ydym,
yn ofni'r farn sydd arnom,
ofni i'n dail yn fwy na dim
fentro blaguro yn gam.

Troi i mewn yw natur mynwent,
ond gwelaf haf y tu hwnt
i aeafau yn nhyfiant
y drain ar y feidir wynt.

Clawdd Cam, Mathri

Cyfeiriad y dŵr
a cherddediad y niwl

i Twm a Sioned yn eu neithior yn Llanystumdwy,
Mehefin 2001

Tir mawn yn mynd tua'r môr
ydi afon. Mae Dwyfor
yn cario Dôl Tŷ Cerrig
a chaeau bach Braich y Big,
cwysi o ddŵr Llyn Cesig – yn un baich
    dan bont Rhydybenllig.

Ar ei ben yr â dŵr y byd – i lawr
    o Eryri fawr i draethau'r foryd:
mae'r gwely'n disgyn yn wyllt, i ysgwyd
hen greigiau o'r allt yn gerrig y rhyd
yn nwndwr y dŵr, nes dod
yn y diwedd yn dywod.

Un amser sy'n diferu
ar y daith, un pwer du
tan y tonnau yn tynnu
i ben holl fwrlwm y byd
a'i hafau sblennydd hefyd
ac ni chlywaf ond afon
ar ei hynt – ac oer yw hon.

Ond weithiau daw'r tarth yn garthen olau
    o wâl y dŵr halen,
   niwl haf yn agor ei len,
   niwl o Aberhenfelen,

a chyrraedd – â'r llanw'n ei chwarae
tros gerrig Sarn Badrig yn y bae –
fel madarch, gan fystyn ei warchae
fesul gwernen a chollen a chae,

nes troi'r morfa yn hen orffennol,
llyncu'r Llyn Du a chipio sawl dôl
a dwyn ei gerddediad ewynnol
yn droedfain drwy Ynys-gain Ganol,

ennill â'i gwrlid ddŵr Pwll Gorlan
a phentoeau llwyd a phont y llan,
y meini crynion a Llyn 'Ronnan,
yna arafu i orwedd yn Nhrefan.

Yn gynnil a swil mae les Olwen
yn dod, yn gawod dan ysgawen,
yn denau ei siôl gyda dawns wen,
yn haf llawn o eira'r feillionen.

O herw'r mynydd y daw'r meini
i afon y llan a threfn y lli
yw rhoi tristwch yn Ddwyfor trostynt;
ond tu ôl ac y tu hwnt i hynt
a hanfod dŵr, mae 'na fyd arall
sy'n bod cyn ei nabod, un a all
gau'n gwlwm am blisgyn y galon,
ddal telynau'n hafau a nofio'n
rhydd o afael trugaredd afon.

Nid dilyn cwrs y dolydd
ydi dull pelydrau'r dydd
ac nid taith drwy ganiatâd
y cerrynt ydi cariad;
niwl haf sydd eto ar led:
yno mae Twm a Sioned.

'Porth-gain'

'Llanrhian'

Dwy ffordd

Dy lôn di yw'r *Windy Ways,*
Horizons a'r *Sunrises;*
ar y ddymunol *Magnolia Crescent*
     mae croeso 'mhob trigfa
  ac ar lawnt y *Shangri-la,*
Rose Vale, The Nook, Gorse Villa …

Un wahanol yw fy lôn innau
er mai'r un heli, 'run gwynt piau
yr un un eithin arni hithau,
yr un rhedyn ar ei throadau.

Uwchben Trwyn Mulfran, trwy Henllys Ganol,
heibio i dai gwynion sy'n nabod gwennol
yr â hon, drwy Nantbig, Twll yr Higol,
o dan y Ddwylan a thrwy Ryd y Ddôl,
drwy glytwaith yr iaith sydd ar ôl yn Llŷn,
Llŷn y frân dyddyn a'r llambedyddiol.

GM

wedi Genoa, 2001

Dan ni i gyd, mwn,
yn gweddïo'n y mieri:
 'Gwarchod fy myd
 rhag y gwallgof medrus
 sy'n gorymestyn moron,
 gorgochi mefus
 a gorchwyddo melonau.
 Gwared Mai
 rhag y glaw magenta
 sy'n gorlifo maes
 a gwagio'r mynydd'.

Dan ni i gyd, mwn,
am golbio MacDonalds
a'i gig o Mars
a'i ginio modern
fel genaugoeg mashd.

Dan ni i gyd, mwn,
yn galw 'Mwll!'
ar y gwleidyddion modrwyog
a'u gwybed mân,
ar y gwyddonwyr madarch
droith gacamwnci
yn gig moch
a thyfu gwlân mohair
ar goesau mul
neu groesi maros
â gwŷr mewn oed
i greu math
o gwsberis moel.

Dan ni i gyd, mwn,
yn gwrido tu mewn
tros Gynulliad musgrell
ar goll yn y mwg,
mewn gwendid yn mwydro,
heb gynnal mwy
na rhyw goffi morning,
ambell gyngerdd mawreddog
a glanhau Môn
o gachu malwod.

Dan ni i gyd, mwn,
gyda'r Meuryn
yn glod a marciau
am gywydd marwnad
i gyflafan y masgiau
wrth gynhadledd y meistri
achos dan ni i gyd, mwn,
yn gwirioni ar y mydr
sydd ar gerrig mynwent.

Dan ni i gyd, mwn,
yn griw gwyllt yn ein mêr,
yn gynnes ein mynwes
at gornicyll a morfilod,
yn hoff o ganu mawl
bob Gŵyl Mabsant
i gampau mabinogaidd
fel: 'Mi grafais i 'môls
 gyda marchysgall
 wrth gasglu mêl
 ar gorsydd Malltraeth'.

Dan ni i gyd, mwn,
yn gefngwladwyr meddal,
yn garedigion madfallod,
yn gorliwio mymryn
ar gloddiau masarn,
y gog a'i menig,
grug mynydd a gwawr a machlud,
a gorlwytho'n mesurau
gyda gwenith Medi
neu gnau a mwyar
neu gân mwyeilch.
Ac am ein bod ni'n Gymry mynyddig,
fel Gwylliaid Mawddwy,
dan ni i gyd, mwn,
yn gariadon mamogiaid.

Ond yn Gomiwnydd a Mêson,
yn gadfridog a myfyriwr,
yn gwdyn myharan
ac yn gynffon mochyn,
yn gadwedig a Mormonaidd,
yn gwango mêniac a gwallt mohican
dan ni i gyd, mwn,
yn gwledda ar y maip a'i gwsg melys
a chyn gaeaf Mehefin
byddwn yn goro mynd at y giatiau metel
sydd rownd y gwŷr mawrion
a gosod marc
tros gariad Melangell,
tros groth mam.

Lawr canol y stryd

*Feddyliais i erioed y buaswn i'n medru teimlo rhywfaint o
gydymdeimlad at iobs pêl-droed Lloegr ond dyna'r profiad
rhyfedd a gefais yn Stratford-on-Avon adeg twrnament
Cwpan y Byd, 2002. Ddiwedd y pnawn, dyma griw i ganol
strydoedd parchusaf, mwyaf ffotojîenic y dref a dyma'r stori:*

Llygaid Strongbo,
pennau shafio,
'ere we go
'lawr canol y stryd,
rownd y gornel
yn shrapnel drwy siopwyr
a bownsio pêl
ar slabiau cerdded drud.

'Superb! Superb!'
y cybiau'n canu
am eu crysau ac yn camu
am y tir comin a'r tec-awê;
heibio'r bagia disainar,
heibio bistros seithbunt y startar,
'lawr canol y tar,
fel 'tae nhw piau'r dre.

'Lawr o dafarnau
strydoedd cefn y topiau
mi ddôn yn heidiau,
heb do gwellt ar eu tai,
heb walia Tiwdoraidd
na ffenestri Shakesperaidd;
heb fawr o fannars, braidd,
heibio'r llygaid gweld bai.

Bwrdd na allan nhw'i basio
ydi'r byrddaid capwtshino
ym mê-windo'r *Café Rouge*:
pum neu chwe llanc
yn llyfu'r cwareli'n bur
o broblemau budur,
fflatio'u trwynau yn y gwydr
a gweiddi: 'Twll din pob Ianc!'

Yn ôl i'r stryd,
i'w chanol a'i chymryd
oddi ar sbortsgeir y byd
â'u platiau personol iawn,
oddi ar Dixons Countrywide
a'i hanner miliwn am dŷ taid,
oddi ar newydd-ddyfodiaid
a chicio pêl, ddiwedd y pnawn.

'Lawr y canol, awê,
cŵn a chwrcathod y dre,
yn dathlu piau'r lle
drwy ddangos bochau tina'
pan oedd seidar yn ei dymor;
'lawr canol y stryd sobor,
fel Cymry tai cyngor
yn mynd adra drwy'r marina.

Hawl

'Ni piau'r glesni,' medd y canghennau,
'gwlad y pelydrau uwch ein pennau.'

'Ni piau talaith y tir,'
medd y boncyffion yn orymdaith hir.

'A ni piau'r hen ffynhonnau
o'n gwerin hyd ein coronau.'

'Ni sy'n gwladychu'r ddaear,'
medd y gwreiddiau, 'pob geni, pob galar.'

'Ein teyrnas yw'r tymhorau,' medd y dail,
'dagrau a gwanwyn, bob yn ail.'

'Ond gen i mae'r lli,' medd y gaeaf,
'a'r awch at y cynhaeaf,

'ac y fi piau'r waliau newydd
ar ôl chwalu'r coed olewydd.'

Dau lygad ar un wlad

yn seiliedig ar ateb y Pennaeth Seattle
pan geisiodd Arlywydd America brynu
rhai o diroedd yr Indiaid yn 1854

Rwyt ti'n gweld y tir yn wyllt;
i mi, mae'n ardd erioed.
Fflamau a thân a deimli di;
minnau'n teimlo'r coed.

Cig a weli 'lawr ffroen dy wn;
gwelaf innau gnawd.
Croen a ffwr yn dy feddwl di,
yn fy meddwl innau: brawd.

Rwyt ti'n gweld erwau o wenith gwyn
a minnau'n gweld y paith.
Rwyt ti'n clywed udo yn y nos;
minnau'n clywed iaith.

Rwyt ti'n gweld argae a phibelli dŵr;
minnau'n gweld afon fyw.
Rwyt ti'n cyfri'r lle yn ddarnau aur;
minnau'n ei gyfri'n dduw.

Rwyt ti'n gweld y ddinas yn tyfu o hyd;
rwyf innau'n gweld y ddôl.
Rwyt ti'n gweld cynnydd; minnau'n gweld
y ddaear na ddaw'n ôl.

Tua'r gogledd o berci Llan-non

19

Ceisio Rhiannon

yn Ninbych-y-pysgod

Rhwng *Churchill Close* a *Bucaneer's Den*,
dwi'n chwilio amdani ar ei chaseg wen;
rhwng y *Bingo with George* bob nos Lun
a'r cigydd sy'n gwneud ei hagis ei hun;
rhwng tafarn y *Pig and Puffin* lle
ceir *Roast Beef dinner served all day*
a'r bagéts Ffrengig yn y Zanzibar;
rhwng y *Radio South and West* yn y *No Name Bar*,
y siopau roc a ffydj a'r seins *'This loo
is for use for customers only, thank you'*
a than yr hiraeth hen sydd rhwng lleuad a lli,
'hyd strydoedd rhy ifanc i'w chofio hi,
dwi'n dal i'w cheisio, ar gorneli slei
wrth i'r penllanw ollwng cychod o'r cei,
ceisio hon – yr un anodd i'w dal –
mewn siop fara brith a *'There's lovely'* ar ei wal,
nes gweld label y ddol ar ei chownter hi:
'My name is Rhiannon':

                         yn y gaer wrth y lli,
mae pair y dadeni yn yr *Amusement Arcade,*
mae'r niwl ar Ddyfed yn dew ac ar led,
mae pen carw Pwyll yn yr *£1 Shop*,
ac mae Annwn ei hun wedi mynd dros y top;
rhwng y Mabinogi a'n mebyd ni,
daeth *Beyond Wales* a'i phryder hi.

20

Newid enw

pan drodd Cassius Clay i fod yn Muhammed Ali

Yn dy enw, cadwyni
y gwarth a'r trais 'deimlaist di;
roedd dolur ddoe dy deulu'n
y ddau air – a thithau'n ddu,
ddiymadferth, yn perthyn
i sgrythur y gwerthwyr gwyn;
boy oeddet ti yn y bôn,
yn Gassius, un o'r gweision.

A'r enw fu'n cynrhoni,
yn haearn tân arnat ti'n
serio o hyd; ond o'r sarhau,
o lynges o gaethlongau,
o gleisiau'r dyddiau pris da
a'r chwip, daeth pili-pala.

Dal dy falŵn

*mewn Ffair Brotest Ŵyl Ddewi yng Nghaernarfon, trefnodd
Cymuned fod 250 o'r dyrfa yn gollwng balŵn ddu bob un i'r
awyr i gynrychioli'r ardaloedd Cymraeg a gollwyd gyda chyhoeddi
ystadegau'r Cyfrifiad – ond roedd un bachgen dwyflwydd yno yn
gwrthod gollwng ei falŵn*

Waliau Edward sy'n dal i ledu:
er pob rhyfelgan a sloganu,
deil y tir hardd i droi'n ddaear ddu.

Ac i wanwyn o gennin,
down â balŵns duon, blin
i'w gollwng, llun o'r golled
o Rossili i Holyhead.

Dacw nhw, rhwng mwg simneiau
a gwylanod: hen galonnau
yn eu holau'n anialwch.
Dacw nhw, draw yn teneuo
tua'r haul, yn troi a hwylio
o'n dwylo i dawelwch.

A be wnei di, y mebyn, dywed,
ti a'th ddaear mond yn un siarad,
â hen wladfeydd yn gadael dy fyd?

Dangos dy deigr (ac ambell ddeigryn)
drwy winedd a dannedd, dal yn dynn
yn ei gwisg a wnei, a'i gwasgu'n wyn.

Gorymdaith

wrth gofio Rod Barrar

Oedd fyrbwyll ei ganhwyllau; – roedd y ddwy
        mor dduon â'r pyllau'n
eu galar, eto'n llawn golau – a sbort,
        llawn sbarcs y mandrelau;
llawn Aberfan, llawn berfâu o esgyrn,
        llawn cysgod y croesau;
llawn o'r iaith, llawn areithiau – a chariad
        a chwerwedd y streiciau;
llawn o haint a llawenhau y colier;
        llawn calon o ddagrau;
llawn o weld y cam a chymryd camau;
llawn o ddweud ac o wneud, llawn syniadau;
llawn hewl agored i'w gymunedau
ei cheisio; llawn dringo o dir yr angau;
llawn cerddediad i'w fwriadau; – llawn brys;
llawn cwm hiraethus, llawn Cymru hithau;
llawn dechrau cynnau ac o roi cynnig;
llawn o dderbyn her y llethrau peryg;
llawn o ffrwcsan lan y tyle unig
rhwng cwm a chwm, a gweld ei ddychymyg;
llawn hast, llawn mystyn lastig eiliadau;
llawn ebychiadau; llawn byw ychydig.

Colli'r cyfarwydd

i gofio am John Owen Huws

Mae haen dros lwybrau'r mynydd,
haen o niwl; mae Gwyn ap Nudd
yn gyrru'i wyll dros Foel Gron,
hiraeth tros Foel Cynghorion
a llaw yr ellyll ei hun
ydi'r cyll uwch dŵr Cwellyn.
Mae Eryri'r storïau
a'i chewri hi'n ymbellhau;
mae chwedlau enwau'r hen wlad
yn oer a digyfeiriad;
does neb yn gweld ei febyd
ac ar goll mae'r geiriau i gyd.

Pan ddaeth, daeth eneidiau hen
yn dorch am Lyn Dywarchen
a dal y lleuad olau'n
Nrws y Co'. Yna, drws cau.
Pan aeth, aeth y rhithiau hyn
dan haen lwyd yn ôl wedyn.

'Y Foel a'r Garn'

'Mwnt'

Ffoi

Nadolig 2001

Ac mi aeth pob un
o'i ddinas ei hun
y dyddiau hynny:
pob mam, dynn ei siôl a'i chwbl yn ei chôl
a'r wlad yn chwalu;
pob tad, ar daith oer heb seren na lloer,
heb le i alaru,
a llygaid yr ŵyn, sy' ddim ond yn ŵyn,
eto'n newynnu.

Ac mi aeth pob un o'i ddinas ei hun
y dyddiau hynny:
cydgerdded ag ofn, pob afon yn ddofn,
pob noson yn ddu;
pob gwawr yn arwach, pob dydd yn llwytach
a phob un llety
bob heddiw a ddoe
yn llawn o bob sioe rhag eu croesawu.

Ac mi aeth pob un
o'i ddinas ei hun y dyddiau hynny:
roedd ffens ar bob ffin, pob croeso'n un crin
a'r seiliau'n crynu;
a daeth drwy'r gwynt main,
un arall o'r rhain:
mwy o waith rhannu
a niwsans hefyd
a welodd y byd ar lawr y beudy.

Wedi gadael

Rhyw dro, cerfiodd gwas ffarm o'r enw 'W.H.'
luniau llongau ar lechfeini beudy'r Lasynys Fawr.

Maen nhw'n dy alw drwy'r dydd
i nôl mawn neu hel mynydd,
i gael y ceirch i'r gowlas,
i lithio'r lloi neu doi'r das,
i borthi llond buarthau,
lladd brwyn, tynnu ŵyn, glanhau
tinau'r ceffylau cyn ffair,
dy frysio i fyd y rhoswair
a dilyn gwartheg dolydd
ar duth, ar redeg drwy'r dydd.

Maen nhw'n dy alw drwy'r dydd – dy ysgwyd
    i'th dasgau byth beunydd:
    isio 'ti brysuro sydd,
    hynny neu gael lle newydd.

Maen nhw'n galw, dy alw eilwaith
ond dy alw a gân nhw ganwaith,
ni alwan nhw lun o hwyl wen laith
o'th lygaid – mae dy enaid ar daith
eisoes, rwyt bob un noswaith ar y môr,
ym mhen dy dymor, yn mynd ymaith.

Taith y maen

cerdd deledu i gyd-fynd â lluniau o'r awyr

(Lluniau o draffig ar M4, A55, A5 sir Ddinbych ac ati)

Mae fy olwyn ar ryw olwyn ôl
mewn ciw heddiw ac yn dragwyddol
a go brin fy mod i'n symudol.

Llygaid gwag y ffordd agos
yn ymlid rhibidirês
o weipars bach anhapus.

Am gael mynd a dod, am gael codi,
hedfan, fel yr hed brân, be rown i?
cael teithio'r lôn na welir m'oni
heb gornel, na fy nhebyg arni.

(Lluniau o'r wlad o'r awyr)

Mewn byd â'i olwynion yn llonydd,
daw i wyneb y ffordd adenydd
a daw'r meini i gerdded o'r mynydd.

(Lluniau cylch cerrig Penmaenmawr, chwarel Penmaenmawr, cromlech Capel Garmon ac yna Maen Chwyfan)

Daeth y maen yn rhydd o ddwrn y mynydd
a chroesi mawnog,
llithro gyda'r gwlith
gan oedi yn rhith cromlech Hiraethog,
cyn troi dan y cŷn
ac agor ei hun i ddal pren y grog.

(Llun castell Cymreig Dinas Brân)

Caeodd adwy'r clawdd
ac nid yn rhy hawdd
y deuai drwy hon iaith dewach na brân
na chogau a'u cân,
dim ond acenion a oedd ddigon main
i wthio'r dwyrain i dai'r brodorion.

(Lluniau o olion castell Deganwy)

Y maen a safodd
drwy dywydd anodd ganrifoedd yno,
dal y dyrnu maith
a'r un lleidr gobaith yn dal i'w geibio;
yr un tonnau gwyn
drwy'r morfa sydyn yn ei ansadio.

(Lluniau castell Conwy)

Wrth iddyn nhw ddwyn
ei safiad a dwyn yr hyn oedd 'dano,
aed â'r maen yntau –
gyda'r llanw'n cau dros frwydrau'r co –
a'i godi ar graig
lle nad oedd tân draig yn cochi, dros dro.

(Lluniau o hen bont gerrig a phont Llanrwst)

O'r gaer ddisymud,
daeth y maen i'r rhyd,
i'r dŵr sy'n rhedeg,

gan ddod â'r tyddyn a chnwd ei briddyn –
dod, fesul brawddeg,
â'r iaith i'r sgwariau;
cario ei geiriau dros y bont garreg.

(Lluniau o bont Conwy, pyrth tre Conwy a strydoedd y dre)

Palmant a marchnad,
bargen ar lawr gwlad:
menyn, mêl a gwlân;
troi'r dre yn aelwyd,
llenwi'r strydoedd llwyd â siarad llydan
ac ailalw'r bardd drwy borth y gwahardd
i ganu ei gân.

(Lluniau o hen fynachlog Glyn y Groes; yna Tŷ Mawr Wybrnant)

Y maen, yn salm fyw,
ddringodd at ei dduw,
ddymchwelwyd gan ddyn;
aeth y beirdd i oed
a'r hyn fu erioed ar goll dan redyn,
cyn ailysgrifennu'r conglfeini hynny,
yn newydd, yn hŷn.

*(Lluniau o goedwigoedd duon y Comisiwn;
yna adfeilion hen ffermydd ar dir mynyddig uwch Trefriw,
Eigiau ac ati)*

Coed. Coed. Goleudai tywyll am y tai,
yn suro'r tywydd;
y tân mawn a'i wres
yn oer; beddi'n rhes ar draws y rhosydd;
corlannau ar daen:
dychwelodd y maen yn ôl i'r mynydd.

*(Lluniau o chwareli Dolwyddelan/Penmachno;
yna hollt rheilffordd/twnnel rheilffordd/Pont Gethin yn
Nyffryn Lledr; rheilffyrdd a phontydd rheilffyrdd)*

Ebill a phowdwr,
pwer tân a dŵr
gan ddal i daro yr wyneb caled
yn lôn agored,
dal, dal i guro cledrau drwy'i ganol
a phob pant a dôl ar gledrau'n dwylo.

(Lluniau o'r Gogarth, Llandudno, marina Conwy)

Agor tir uchel yn djipins chwarel;
ei gwagio, a'i chau;
agor lein i daith ddiwethaf yr iaith
i dywod traethau;
agor yr holl wlad
yn un bromenâd dros ei heneidiau.

(Lluniau o Raeadr Aber, y mynydd a'r môr)

Ond mae maen newydd
wedi torri'n rhydd yn y pair heddiw
a nant y dŵr mawn
â'i chynffon yn llawn,
yn enwyn ei lliw
yn troi o'i gylch o a golchi drosto
tua throed y rhiw.

Mi godaf y maen a siapio'i ben blaen
ac yna'i blannu;
cetynnau ynddo
a giât bren arno yn adwy fy nhŷ
a honno'n agor ar fynydd, ar fôr:
ar ffordd yfory.

Maen hir ger Tyddewi

Diolch am ddau faen cilbost

i Glyn, Bryn Mawr

Ym Mryn Mawr, hen yw muriau
gwinllan a chorlan a chae
ac mae pob wal dal yn dynn,
waliau ers dau Lywelyn.
Mor hen â'r muriau hynny
yw tân croesawgar y tŷ:
Glyn liw haul a'i galon lân
a'i wlad yn ei law lydan,
mae'i siarad wastad fel dydd,
mae'i wên fel llidiart mynydd.

Mae adwy ar fy myd-i
a bu'i steil ddigilbost hi'n
troi'r Sgubor yn agored
i unrhyw lòb ddôi ar led;
'hyd y Llwyn, daw llouau od
a Ffrisians hoff o rosod
heb ots am neb; f'ateb fydd
dau faen o wlad Eifionydd,
hyd o giât a dau getyn
i gau ar y du a gwyn.

Aeth hyn ar gerdded wedyn,
odia' fyw, ac i glyw Glyn:
heibio y daeth ar sbîd dau
a'n gwa'dd i'w unigeddau
gan ddangos ei lond ffosydd
fyny i'r rhos o feini rhydd,
a'n cario drwy'i Dre Ceiri
i roi'i Gnicht o gerrig i ni.

Dau hanner pont, dyna'r pâr
a rowliwyd ar y trelar;
dau wardew o'u pydew pell
yn tynnu am dair tunnell;
dau forfilyn ydyn nhw,
dau gadarn, dau i gadw
Ffrisians i ffwr' o'r rhosod,
dau ben y ddwy Gyrn, ond bod
i'r ddau nerth i droi'n gardd ni
yn agored i gewri
a'u siarad gwlad, rhai fel Glyn
a'i waliau dau Lywelyn.

I ddiolch i Emyr a Nerys, Neuadd Cynhinfa

gyda chymorth Twm, Mei ac Iwan

Ar y daith, mae noddwr da
yn hen wynfyd Cynhinfa,
hen neuadd wedi'i newid
yn ôl i'w gwedd olau i gyd
a'r cof yn ei cherrig hi
a'i derw'n deud eu stori.

Aeth yr hwyr, a daeth saith rog
hyd lonydd bach Dolanog
ac wedi oes o goed ynn,
ildio i fwynder Maldwyn.
Drws yn gwichian, sŵn canu
a geiriau teg gŵr y tŷ.
Emyr sy'n frenin yma
yn gneud y gaea' yn ha':
i lawr aeth i'w seler win
a'i gwagio hi i'w gegin.
Â thân Cynhinfa'n wynfyd,
rhoes i feirdd groeso i'w fyd.

Y boen

*Mae maen hir wedi'i godi mewn hiraeth am Cun, gwraig
Celen yn eglwys Cadfan Sant yn Nhywyn, Meirionnydd ac
arno mae'r frawddeg: ERYS POEN. Honno yw'r frawddeg
ysgrifenedig hynaf yn yr iaith Gymraeg ar dir Cymru.*

I ewyn môr 'aiff sarn y meirwon
gan fystyn o Dywyn dros y don –
ond dychwelyd o hyd 'wna'r boen hon.

Rhwng Dyfi a Dysynni, mae'i sŵn
yn y weilgi, 'hyd ffridd yr helgwn
ac mae'r Dyffryn Gwyn yn gwisgo'i gŵn.

Lle bu gwinllan Cadfan, mae hi'n cau
gadael llonydd i goed y llannau,
ac o'r maen mi ddaw'n gur i minnau.

Daw haf dros Benmaendyfi
â'i wadnau'n wyllt, ond down ni
a chael pob giât wedi'i chau,
rhidyll pob un o'r rhydau;
mae ôl storm, ôl haels y dŵr
yn iaith y traeth ers neithiwr
a'r frawddeg garreg sy'n go'
o'r boen ar y byw yno.

Erys ein poen ar draws ei hwyneb hi
ac nid yw heulwen yr un eleni'n
medru'i gwyngalchu, na'r glaw ei golchi;
mae ffurf pob llythyren heno yn glir,
    yn galaru eto:
deuddeg canrif o frifo yn siarad
    drwy'r cariad fu'n curo
  ar war y cŷn yn union
  ac o'r cŷn i'r garreg hon.

Parseli melyn

*Cyn Rhyfel y Gwlff II, gollyngwyd parseli bwyd o liw melyn
llachar gan awyrennau'r Cynghreiriaid; yn ystod y rhyfel,
gollyngwyd bomiau clwstwr o'r un lliw.*

Mi welais fara melyn – tua'r tai
    a'r tywod yn disgyn,
  bara angel y gelyn,
  bara geirda i'r Duw gwyn.

Ond gyda'r bara, daw sbwriel o gyrff
    a lliw gwin ar fetel,
  a'u hen Dduw – gwelaf, pan ddêl,
  daw angau gyda'i angel.

'Lle mae'r brain yn nythu 'leni?'

Ionawr foel, lôn hir o Fai,
a brain main glannau Menai
ger yr Henllys yn griwiau rhynllyd
eu *gwag* yn drwm o'r hirlwm o hyd,
yn ddarnau bagiau byrnau uwch byd,
yn eiriau drwg yn awyr y drain
a lliwiau lladd yng ngwyddbwyll y llwyn,
yn blagus, bob hwyrnos neu blygain,
yn llygadu'r iau'n llygaid yr ŵyn.

Lle trown, lle down i weld gwanwyn yn dod
i'r ffridd uchaf? a gweld ffordd i'r Hafod?
Mor bell unrhyw furmur bod yna daith
hardd o obaith ac arwydd o wybod.

Lle trown heblaw ati hi'r gawod
hon o gigyddion duon sy'n dod
i'r hen waith o gario i'w nythod?
A sylwn mai yng ngheseiliau uchaf
    mwyaf croch y brigau
  y gosodan gwpanau
  o bren yn y gwanwyn brau.

Coed Llanrhian

Ynyswyr

*'...one easy way to tell Blasket men from the others:
they walked together in single file, just as they had in the
island where the paths were slippery, steep and narrow.'*
          disgrifiad o Hungry Hill, Springfield
          gan Cole Moreton

Ar seidwoc Broadway
mae digon o le i drwch o liwiau
a chawn ddangos crys a siwt gyhoeddus
a sgwario'n 'sgwyddau;
cyffyrddwn â het a gosodwn fèt
drwy'r daeargrynfâu
heb dro na gwyro wedi ei blanio
ond mynd yn ein blaenau.

Ochr yn ochr, a bras
yw'n cam mewn dinas sy'n swagro'i doniau
a down i gredu
yn y cerddwyr cry' llydan eu criwiau
nes y daw rhes hir,
rhes ddu i hollti'r holl balmant yn ddau
a'n troi i edrych
'lawr canol y rhych a chofio'r achau.

Cofio'r tywyllwch yn ysgwyd y cwch
a'r cwmwl yn cau,
y creigiau'n crynu
a'r storm yn tynnu ar wallt y tonnau
a chofio'r llinyn
sy'n ein dal yn dynn wrth yr allt denau
lle'r awn drwy dywydd yn gefn i'n gilydd,
gan gadw'r golau.

'Abereiddi o Lanrhian'

'Afon Solfach'

Cwrs yr afon

wrth gofio Gari Williams

Y glaw ar eithin – glaw Hiraethog –
sy'n canu'n y rhedyn yn ffrydiog,
ond gwael ydi gadael gwlad y gog
am y dŵr du a'r mydru diog.
Mor felyn, mewn dyffryn, pob dŵr; – pob haint,
    pob pwll a phob merddwr
  sy'n boddi'r bardd a'r chwarddwr,
  troi rhamant nant yn hen ŵr.

Nid aeth ei hwyl y daith hon i'r ddaear,
nid aeth ei lafar gyda'r cysgodion;
roedd ei ddisgyniad i doriad y don
o dir uchel, yn fwrlwm, yn drochion;
dŵr hwn oedd y rhaeadr union, – ei lol
yn egnïol a thasgai'i ganeuon;
y cerrig sioncaf oedd cwrs ei afon,
y dŵr huawdl a gariai ei straeon
a phan dorrodd ei ffynnon – daeth ei ha'
a'i Hiraethog yma i draeth y gwymon.

Yn ôl i'th lygaid

Oeri mae'r tŷ drwy'r bore:
rhew llwyd yw awyr y lle,
y doniau dweud yn iâ du
a'r iaith fel pe bai'n brathu;
troi gwar a chwarteru geiriau – sy 'ma
     a symud o lwybrau
   ein gilydd; diffodd golau
  a sŵn coed y drws yn cau.

Hawdd yw cerdded draw, ac er pob awydd
i ail droi i dŷ, rhyw fulo drwy'r dydd
a wnawn – hel mellt yn bigog o elltydd
y drain a'u dwyn nhw adre yn danwydd;
meinio ar wynt y mynydd – atebion
i roi dwy galon dan draed ei gilydd.

Ond dwi ddim yn dda, dwi'n dda i ddim
yn llesg fy nghefn, yn llusgo fy ngham
a chrwydro cors ochor draw y cwm:
yn gyfaddefiad nad hyn ydym.

Un anodd yw'r daith honno
ar draws y gors, rhoi dros go'
y rhew a'r gwynt a'r rhuo;
er hyn, mae'n llafar heno dy wyneb:
dy ateb yn dy lygaid eto.

Dos â fi i'r nos

Nadolig 2002

Dangos imi nos dywylla'r nen
heb lygad cath o olau ar lathen
o'i rhiwiau, nos nodwyddau'r ywen;
ac yna, pan yw pob geni mor bell
   ac mae'r byd yn cloffi,
yr awyr yn dal i rewi – a phob
    un ffordd wedi'i cholli
a'r nos yn ein harwain ni – a dim oll
    ond myllio amdani
yn nhrwch y düwch, estyn di – gannwyll
   drwy ganol y drysni
  a gwelaf lôn ohoni,
  o'i gewin haul bach gwyn hi.

Yn dy gwmni di, mae'r daith
yn felys drwof eilwaith,
mae golau ar ganghennau ynghynn
a'r heol i gyd yn garolau gwyn
a'r plantos yn hel celyn heb ddim hawl
a'u gwên a'u mawl yn y plygain melyn.

Dos â fi, drwy'r ffenestri, i'r nos,
o'r gwely gwag at gariad agos
a maddau i angel am ymddangos.

Dos â fi drwy lwydni a thrwy len
Rhagfyr at y murmur yn fy mhen
a holl bersawrau llwybr y seren.

Dos â fi, a'r gaea'n noethi'n awr
dan gysgodion gelynion, i lawr
y ffyrdd du at gyffyrddiad y wawr.

Peiriant sganio

Ar y gwydr, pelydr o gwch
dieithr sy'n dod drwy'r düwch
yn ei gafn o sennau gwyn
yn troi'n y gwynt a'r ewyn:
cwch bach lawn cyfrinachau
yn dod drwy dywydd – a dau'n
gwylio goleudy'i galon
drwyddo'n dawnsio ar y don.
Mesurwn, gan amseru
hyd ei daith drwy'r ffrydiau du
a'i roi 'mreichiau llwybrau'r lli
a wnawn, hyd glan ei eni.

Celwydd gwyn

'Ceffyl,'
meddai hi'n gadarn,
pan gynhaliwyd y llys barn
uwch pwll amheus ei awel
a dywyllai'i llofft fach ddel.
A chyda'i llygaid dwyflwydd
yn taeru, gallasai'n rhwydd
dystio i'w liw a'i lun o,
y march a alwodd heibio.

Pe bai hi i fyny yma
yn edrych 'lawr, gwelsai'n dda
fod ei chelwydd yn olau,
nad oedd rhaid iddi ryddhau
ei gwaed i'w bochau euog
na phletio gwaelod ei ffrog.

A phe bawn i 'i hoed hithau,
ni fyddwn wedi pellhau
i fy hen gorneli cul
lle nad oes modd i geffyl
ddod i mewn yn slei i'r tŷ
a phiso wrth droed y gwely.

Yn bymtheg mis oed

Ni all fyw dan asgell ei fam mwyach:
   y mae ar ei garlam
   wrthi'n torri cwysi cam
   a'i ddwygoes ar wedd wigwam.

Nid i hwn holl draffyrdd ei dŷ,
mynd o ddrws i ddrws heb ddrysu,
a pha les fod 'na rodfeydd fflat
ar lun M1 i lawr y mat?
I'n Marco bach Polo, ffyrdd pîg
yw hen lonydd Sarn Elenig.

Ei gyffro yw stwffio o dan stôl – rhoi'i draed
   drwy'r drôrs yn fustachol;
   gwneud taith y gegin tu ôl
   i dridarn sy'n drawiadol.

Rhwng y dresal a'r wal mae'i lwybr o,
rownd cefnau cadeiriau pladurio
y mae hwn; nid dyn map mohono:
y tramwy cudd yw'r tarmac iddo.

Daw wedyn sŵn a dadwrdd:
dan y bwrdd, mae'n dynn ei ben;
daw ei lef ar ôl di-lun
wejo'i hun heb ocsigèn
'gefn wardrob; ac anobaith
pur yw ei iaith dan fyncs pren.

Minnau'n ddodrefn-aildrefnwr
a gwibiog rwystr-ysgubwr;
ydwyf soffa-symudwr
o flaen ei drip. Ac ymhen dipyn,
daw hwn i sadio, a daw'n sydyn
yn dad i'w dad; minnau â gwar dynn
yn mynnu gweld fod y mannau gwyn
tu cefn i bob dodrefnyn. Daw yntau
i'm rhyddhau, ond nid mor hawdd â hyn.

Seren y Bore

Mae'r dre dan ei dwfe du
a'r haul yn ei hirwely;
mae'r tawch yn drwm ar y tai
a'i oerni'n sgeintio'r siwrnai,
yn e-bost o anobaith
eisoes. Ac nid oes ar daith
y bore Llun byr a llwyd
ond lonydd yn dal annwyd –
mae'r gaea 'mhoer y gawod
a'r ha'n y wlad bella'n bod.

Mae Erch a Dwyfach dan eu sachau
a'r llwydrew'n dew yn yr adwyau;
mae gwrach gam yn mesur ei chamau
o'r gwlâu dŵr i gaer y Glyderau.

Mae'r bodiau'n cau am Fwlch y Cywion,
llaw dywyll ar y cestyll duon,
ond yn arwain o'r dwyrain, daw hon
yn wych o 'mlaen uwch y Moelwynion:

Seren y Bore'n gannwyll i'r byd,
sbilsen ei gwên yn loyw i gyd;
ar y meini mawr mae'n ymyrryd
er mwyn y gwawrio 'Mhenygwryd.

Hyd Allt y Wenallt, daw hi ac annog
    Gwynant â'i goleuni,
     bwrw ei llwybr ar y lli – i'r haul gwan,
     bwrw arian ar wyneb Eryri,
bwrw ei gwyn yn bur i gynnau'r bore,
    bwrw i'r pelydrau
    'i lliw ei hun; yna pellhau
    a gwelwi'n nerth y golau.

Fel croesi'r Migneint

Mae'r winsgrin yn llawn
grug a düwch mawn
wrth groesi'r mynydd;
dyma'r lle cyntaf y bydd farw'r haf
a'i freuddwydion rhydd,
lle mae'r haul hydref yn suddo o'i nef,
machlud yn ufudd.

Gadael blodau'r creu a dewiniaid Lleu
a'r hen dylluan,
y torcalonnau
sydd ar hyd glannau llyn y merched glân
a dod o Stiniog i soser frwynog
y boda a'r frân.

Yma, does unman wedi'i gau allan
gan gerrig y wal,
wedi'i gau 'mewn chwaith,
ac ar hyd y daith
mae'r dyfroedd yn dal rhwng afon neu ddwy,
heb fynd am Gonwy
na chwaith am Gynwal.

Rhwng dail yn chwerthin
a chlec brigyn crin,
mae 'na lwybrau croes
sy'n gweld holl geirios
y wawr a niwl nos,
heddiw a hen oes,
dim ond darn o lôn a thro olwynion
y canol einioes.

Uwch gadael un man
a chyrraedd y llan,
mae cwmwl llonydd;
uwch yr eithafion sy'n denu dynion,
mae dawns adenydd ar daith ddi-orffen
ac mae llond fy mhen
o groesi mynydd.

Feidir dros Fynydd Preseli

Masarnen

yr ochr draw i'r afon o Lan-y-borth, Llanrwst

Roedd gwreiddiau cyntaf pob gwanwyn i ti
ar sigl y gangen,
sigl masarnen
yn cadw'r amser rhwng y llwybr a'r lli.

Bob Ebrill hwyr a dechrau Mai
gwyliaist y goeden
yn mesur yr heulwen,
yn cyflymu'r glesni yn dy glai.

Â'r curiad hwnnw yn cerdded y byd,
clymaist dy siglen
wrth y fasarnen,
yn ôl, ymlaen uwch cerrig y rhyd.

A thrwy wanwyn olaf dy ffenest di,
siglai'r fasarnen
a neb ar ei styllen,
yn ôl at y gwreiddiau, ymlaen efo'r lli.

Y dail cyntaf

Pan ddaw traed bach Mai
yn las eu siwrnai drwy fôn masarnen,
a'r wyrion hwythau
i drampio'u geiriau â holl egni gên,
ni fydd defodau'n cadw ein camau
rhwng rhesi cymen y gwlâu angladdol:
byddwn ym mhob dôl
ac ar bob deilen.

Pan ddaw natur Mai
yn gryf ei siwrnai i frig y fasarnen,
mi fydd plant yn blant,
'fydd straeon allt Nant byth yn swnio'n hen
a daw adleisiau'r sgyrsiau'n eu holau
am dro i'r heulwen
wedi'r misoedd mud;
ni fydd yn y byd sgrech y bioden.

Pan ddaw bywyd Mai i ben ei siwrnai
yng nghyff masarnen,
byddaf yn rhywle dros y bont o'r dre
lle nad yw'r ywen yn cuddio'r gwanwyn,
lle nad oes un llwyn fyth yn colli'i wên,
a byddaf yn dod fwyfwy i'w nabod
mewn gallt anniben.

Hen lwybrau newydd

i Haf, Siôn, Llio a Math, wrth gofio Emyr

Ifanc, ifanc yw'r afon – ond ar hyd
    ei rhediad drwy'r galon
    bu llaw oer o byllau hon
    yn diosg y drain duon.

Mae'r haf yma'n fy mrifo – a'r llwyni
    fu mor llawn sydd heno
    yn bwrw twll lle bu'r to
    dail, ac yn gollwng dwylo.

Marw'r helyg, marw'r heulwen 'welaf:
    marwolaeth ddiorffen
    am na ddaw, dan ei phawen,
    farw i'r marw'n fy mhen.

Ond i gur y munudau gwan – ar daith
    hir y dŵr a'r dorlan,
    ar dro, daw heibio chwiban:
    cân y co'n goleuo'r lan.

Yna mae nos y mannau hyn – yn llai
    o dylluan fymryn,
    yn gadael i'r llygedyn
    aros yn agos, yn wyn.

Gwelaf chwerthiniad afon – a hen goed
    mewn llygadau gloywon
    a daw, drwy'r pyllau duon,
    chwarae'r haul ar yr ochr hon.

'Felinganol Solfach'

'Hen ysgol Tredafydd'

Haul y gwanwyn

geiriau hen wraig wrth ysgol Treletert, Ebrill 2002

Mae perllan wen Cilshafe
Ac eithin aur Pendwble
Yn codi calon geneth glaf:
Mae fel yr haf, on' dyw e?

Mae'r gog ar Barc y Bore
A'i chlychau 'Nghoed Felindre,
Mae'r llethrau crin dan frwsh bach glas
A'r plant tu fas yn chware.

Mae hen fam-gu yr Hendre
Yn gwrando yn y Cilie
Ar sgyrsiau'r iard a hithau'n braf:
Ond ife'n haf ni yw e?

Daeth gwanwyn dros Garn Ingli,
Mi ddaeth yn gryf eleni,
Ond gofyn mae pob botwm gwyn:
Ai hyn yw'r cyfan gawn ni?

Mae'r haul yn dechrau ennill
Yn llygaid melyn Ebrill
A ninnau'n dal ar wên pob dydd
Rhag ofn na fydd 'na weddill.

Mae'r wennol yn dod adre,
Mae clebran lond y cloddie,
Dan ddraenen ddu mae gwyn y craf:
Ond ife'n haf ni yw e?

'Does dim yn digwydd yma'

Mor llwm yw dramâu'r lle 'ma;
hyd yn oed ym mystyn ha',
lliw lludw yw'r dilladau.
Bob nos, mae fel 'tae'n bnawn Iau
y cau cynnar; bar y *Bwl*
yn geg gam, gyda'i gwmwl
du ar tap, a'r adar to
i gyd yn aros Godo.

Mae'r lle, fel y mis, mor llwyd
ei lenni, lle i ddal annwyd,
lle heb hiwmor ben bore –
aeth pob hiwmor heibio'r dre
a'i chwarddiad, 'mond eiliad oedd –
un eiliad cyn cau'r niwloedd.

Ond trwy wyll y theatr hon,
'hyd onglau'i waliau moelion,
daw'r haul yn ffrwd o rywle
ac mae'n hollti llwydni'r lle.
Daw chwa drwy'r düwch; awel
ar hyd gwteri'r hir hel
a lliw siriol llai seriws
i daro winc ar bob drws.
Tinc cloch y siop; mae popeth
yn dod i'w oed wedi heth
a phob ffenest yn estyn
ei gwydrau i'r golau gwyn.

I'r cwm, fel 'tae dyma'r ciw,
daw huddug o do heddiw
ar fws ysgol, eu lolian
o wal i wal yn frwsh glân,
dawns o dân yn eu CD
a ffeit yn eu graffiti.

Mae yma wrid; mae rhyw wib
eisoes. Mae pethau'n bosib ...

Trefin

Antur

y Gwladfawyr cynnar yn cyrraedd eu Byd Newydd

Mae sglein ar wyneb y bore bach,
mae curiadau a chamau chwimach
a wna i foroedd ymrithio'n fyrrach.

Mae hwyl ar rigwm heli
a llam ar ganeuon y lli
a rhes hir tan haul mawr syn
yn edrych at Borth Madryn.

Ac yno'n nannedd clogwyni – a llwch
    llachar draw yn tonni
      a gwlad yn ei g'leuo hi,
      eisoes, mae'r sglein yn nosi.

Ond yno, wrth i'r breuddwydio ddod
yn chwerw i ben, bellach, er bod
y lluniau tywyll yn y tywod,
daeth awr mynd i lawr i'r ffynnon laith
ym mlinder pellter eithaf y paith
a rhoi dŵr y dyfnder ar ei daith.

Storm eira

Mae Tachwedd yn drochion, lond afonydd,
a dŵr y gaeaf yn dreth dragywydd
ac mae'r tir yn chwannog, â'r glawogydd
taer yn tywallt, am gael tro'n y tywydd;
mae byw am awgrym y bydd gwlad brafiach
a daear wynnach, fory neu drennydd.

• • •

Arwyddion

Mae'n bnawn grawnwin,
haul gwydr, liw gwin
yn llyfn a gwych, ond llafn gwyn
o lwydrew 'mhob pelydryn.

Haid o ddrudwy,
plant gaea'r plwy
yn hedeg yn gawodydd
a throi i darth hwyr y dydd.

Fflam las, ias wen;
byw dan bawen
eithafol mae'r gath hefyd,
yn gron, yn gynffon i gyd.

Hir y bu'n hel,
duo'n dawel
a rhyw wynt o fôr yr iâ
yn aros: mae am eira.

• • •

Dewch i weld

Codwch, blantos, mae hi'n nos y nosau;
codwch a choeliwch mewn trwch o olau.
Wrth y llenni, mae gweddi'r plu gwyddau
heno yn wir. Heno, gwyn yw oriau
düwch eich gwlad. Dewch o'ch gwlâu i wylio hyn:
llwyn o gelyn yn troi'n lliain Gwyliau.

'Plu yr alarch, plu yr wylan,
eisin gwyddfid, clytiau sidan,
enwyn y sêr, shafins arian, – heulwen
drwy betalau'r berllan,
anadliad o geirch ydlan,
drain Mai a dŵr ewyn mân ...'

Eira a'i burdeb yn ystrydebau,
eira llawn o goluro lluniau,
eto o'i weld drwy lygaid to iau,
gwynion oll yw'r rhes o ganhwyllau.

• • •

Yn y bore

Coed yn angylion o bobtu'r lonydd
a lliw diniwed y lleuad newydd
ar dir isel, sy'n dawel gan dywydd;
mae'r nef yn agos, mae'n cuddio'r ffosydd;
mae'r byd yn fyd gwisg fedydd sy'n rhyddhau
hen gadwynau a gwisgo adenydd.

Cawn, yn y caeau cynnar,
wahoddiad gan draed adar
yn ddu ar lyfr y ddaear.

Y ddalen wen yn annog
y rhai hŷn dros y rhiniog,
i droi'n ôl i Dir na-nOg

am awr, i gynnal miri
eilwaith a phledu peli
eto, yn iau na'n plant ni.

Hithau Nain yn waeth na neb
yn heini, goch ei hwyneb,
i'w hwyrion yn ddihareb.

• • •

'A heuo faes, gwyn ei fyd'

Gŵr y Wern, â'i eiriau'n gryf,
sy' regwr oes yr ogof;
mae'i braidd yn cydglymu bref
ar gae marmor y gaeaf;

mae'i dractor dan glwy gorwedd,
llynnoedd y dŵr yn llonydd
a rhawio'r tancar drwodd
yn oriau ffroch ar y ffridd.

Mae'n Glencoe ar do'i sied wellt;
eisoes ar bolion cyswllt
roedd i'w gweld amseroedd gwyllt
yn aml eu hac, aml eu hollt
wedi'r cynhaeaf modern
a'i lwch a'i wib a'i ddîsl chwyrn,
a heddiw, dyffryn deuddarn
yw sinc hon dan lwyth Siôn Corn.

Does un wlad yn Disni-land
aur o hyd, ac er nad ffrind
yw'r un storm â'i llwybrau'n stond,
y mae'n y peidio â mynd
symud o hyd at yr hen
lonydd cyn bod olwynion;
er y corcyn gwyn, mae gwên
a hin deg rhwng cymdogion.

• • •

Braich ym mraich

Mae strydoedd y dref hefyd
yn gaeau oer, gwag i gyd
nes y dôn nhw'n destunau
rhwygo a dwrdio rhwng dau.

54

'Am y siopau neu dim swper!' – Yntau'n
    tynnu gwynt o'i ddyfnder,
    yn ficsar sment, foment fer,
    yn ei damio'n ei dymer.

Bygythiad i'w bnawn Sadwrn
yn chwyddo'i wep a chau'i ddwrn;
dyma'i siesta – ei sied! –
a'i ynys, drwy adduned.
Hwn yw ei bnawn di-boen o
i hel mwyniant fel y mynno.
Y lle gwyn a'i holl ogoniant – rŵan
    sy'n dre â phob palmant
    yn sglefr coesgam diramant,
    sgimen wen fel gwely nant.

Dow-dow, daw allan o'i dŷ
â'i fag, gan ddal i fygu,
ac yn droetchwith mae hithau'n
rhyw ddod gyda'i rhestr. Mae'r ddau'n
sadio'i gilydd yn sydyn,
yn dal llewys cotiau'n dynn,
yn bod o fewn un badell,
drwch brethyn berthyn o bell.

Mân-gamu yn y gwymon y maen nhw;
    ar y mannau llyfnion,
    mae braich yn cyffwrdd braich, bron ...

Rhwng drws a drws, wrth siopa'r stryd, y daw
    ailflodeuo'r ysbryd,
    hi a fo'n cael ail fywyd.

Dim ond geiriau am bethau bach bob dydd
    heb eu dweud yn grintach;
    yna winc a mynd sioncach,

ac o beth i beth, maent yn bâr, yn dod,
    liw dydd ar y ddaear,
    gam wrth gam, yn ddau gymar,

gan waltsio eto dan un siôl a'u lôn
    fel les priodasol,
    taith o gonffeti o'u hôl.

• • •

Dadmer

Nid oes hoelio arch, torri tywarchen
na thynnu llenni ers rhewi'r ywen;
Annwn a'i byrth, tra bo gwyrth y garthen,
sy'n gynnil ei ddistryw, a byw sydd ben
nes 'daw llaw ddu at bluen y gwely,
dod 'nôl i'w chwalu, dan luchio'i halen.

Fel y daw baw i ffynnon bywyd
ac ôl y chwys drwy'r gwyngalch o hyd;
Fel y try'r môr yn fwd y foryd
a'r ha'n elyn ar groen anwylyd,
Fel y daw, drwy'r gwellhad, anfadwch
i ysu eilwaith gorff hen salwch;
Fel y collir nerth a phrydferthwch,
colli'r ddôl yn ôl yn anialwch;

Fel y bydd cariad weithiau'n gwadu
a Mai'r dail yn troi'n dymor dylu,
felly 'daw gwacter y dadmer du
i'n rhan, a bydd yr eira'n baeddu.

Ac yn lle'r erwau
o gelwydd golau
yn rhannu geiriau rhyw hen garol,
ni cheir ond yr awel chwerw
yn ysgwyd y byd a'r bedw:
gwynt marw yw gwynt meiriol.

• • •

Wedi'r Calan

Mae'n hwyr yn y tŷ, mae'r gwely'n galw,
gwin Nos Galan yn gynnes a gwelw,
y grisiau'n llydan a'r sgwrs yn lludw
a gwywo lle bu'r tagellau berw.
Mae blinder drwy'r marwor derw'n trymhau;
mae 'nhymhorau yn y fflamau'n marw.

Daw Ionawr â'i waed yn denau – a heth
   Chwefror hir i amau
    nerth y ffydd; daw Mawrth â'i ffau
    llewod, cyn Mai y lliwiau.

Mai, yr Afallon honno, Mai y wyrth
   am Arthur yn deffro,
    Mai'n y berth, coelcerth y co',
    Mai ar dân, Mai'r dihuno,

a Mai y breuddwydion mawr ...
Ond cyn 'daw hyn, daw Ionawr.

Cam ydi'r tinsel, crin ydi'r celyn;
does neb yno i dystio i'r un llwncdestun,
gwawd yw sôn am lygedyn o obaith
a duo eilwaith o hyd yn dilyn.

Mae'r sgrin yn diffodd, cannwyll yn boddi'n
ei gŵer ei hun, ac mae pob gwirioni
ar wawr wen arall yn awr yn oeri;
daw'n nos arnom. Ond yna'n y surni,
llynedd sydd eto'n llenwi'r muriau hyn,
yn droi sydyn yn y drws i oedi.

• • •

Pan ddaw trwof gusan y profiad
sy'n troi'r sêr ac sy'n tewi'r siarad,
bydd ei phersawr a'i gwawr o gariad
yn hir o'i hôl yn ail-fyw'r eiliad.

Ac wedi'r geni o gwsg unwaith
i fore â hud drwy'i holl frodwaith,
bydd pluen fechan eto'n lanwaith,
yn newydd bob dydd ar gylch y daith.

Bydd bara'r eira'n codi'r gwair drwy'r brwyn;
bydd lled yr heulwen rhag trwch y gwenwyn –
fyth ers troad y gadwyn, mae'n mystyn
rhyw fymryn gwyn tuag at y gwanwyn.

Gwenoliaid Llanrhian

Croesi'r paith

Tra bo toilets yn y Ganllwyd,
Tra bo sbidcops ar stretsh Traws
Dydi uno de a gogledd
Ddim yn mynd un fflewjan haws;
Tra bo ffri-ffôr-ôl yn Rhaeadr,
Camerâu fel heddlu cudd,
Gwell y lydan draw i London
Na'r hen gulbeth i Gaerdydd.

Tra bo goleuadau coch
A 'Sefwch Yma' dan y rhain,
Tra bo cyrff ar lôn y bore'n
Dal i gael cynhebrwng brain,
Tra bo bysys Port i Stiniog –
Yn hen fygars du bob un –
Yn cyfarfod ganol Cob
Â chlamp o fobail-hôm i Lŷn.

Tra bo rhybudd 'daw 'na gerrig
Ar dy ben yn Nhal-y-llyn,
Tra bo holl linellau Corris
Yn llinellau dwbwl, gwyn,
Tra bo ffyrdd yn dal i sigo,
Tra bo pontydd hewl rhy gul,
Tra bo o fore Llun i Gwener
Lond y lôn o ddreifars Sul,

Tra bo loris coed Llangurig
Yn slofi, brêcio, bob yn ail,
Tra bo trêlars Ifor Williams,
Tractors, bêlars, chwalwrs tail,
Tra bo carafanau Cannock
Ar bont Ddyfi'n garfan gre
Ac artics anferthol Cwics
Y rhai arafa drwy bob tre,

Tra bo bymps mewn trefi cysglyd,
Giatiau lein Caersws ar gau,
Tra bo arwydd ar lôn gul
Ei bod hi eto am gulhau,
Tra bo neb rhwng Gwy a Mawddach
Â diddordeb mewn gwneud bwyd,
Tra bo niwl ar fylchau Powys,
Tra bo ban ar Fynach Llwyd,

Tra bo mynd dros lonydd mynydd
Lawer cynt na'r ffordd go iawn,
Tra bo bolards dros y Bannau,
Cylchdro Nelson eto'n llawn,
Tra bo rhai ar strejis byr
Yn colli'r cyfle i roi troed lawr,
Mi fydd clymu de a gogledd
Dal yn hunllef bedair awr.

Tra bo tân ar fynydd Epynt,
Tra bo llynnoedd dros hen lôn,
Ddoe'n ein slofi yng Nghilmeri,
Fory'n rhwystr yn ôl pob sôn:
Ddown ni ddim i ben ein siwrnai;
Awn ni ddim i unlle chwaith
Nes bydd gennym lôn sy'n gywydd,
Hercio fyddwn dros y paith.

Dwylo

etholiad 1859 ym Meirionnydd,
pan gafodd mam weddw Michael D. Jones ei throi allan
o'i thyddyn oherwydd ymgyrchu ei mab

Mae ôl eu llafur ar y caeau hyn
sy'n eiddo i Watkin Williams Wynn
yn hau a medi
i dalu'r rhenti
a gosod cilbyst a giatiau pren
ar dyddyn y weddw o'r Weirglodd Wen.

Daeth cyfle i'w codi erbyn hyn
yn erbyn Watkin Williams Wynn:
mae magu calon
yn cerdded Meirion
ac mae'n amser i'r bychan fod yn ben,
medd mab y weddw o'r Weirglodd Wen.

Cewch eu rhoi ar un o'r bargeinion hyn
yn ocsiwn Watkin Williams Wynn:
maen nhw'n clirio'r stadau
o berygl heintiau,
a golchi'r cerrig yn lân o'u cen
yw hel y weddw o'r Weirglodd Wen.

Rhwng bysedd newydd y dyddiau hyn
mae pwer Watkin Williams Wynn
i hwylio byrddau
a gwagio caeau
a phoen na ddaeth hi byth i ben
yw poen y weddw o'r Weirglodd Wen.

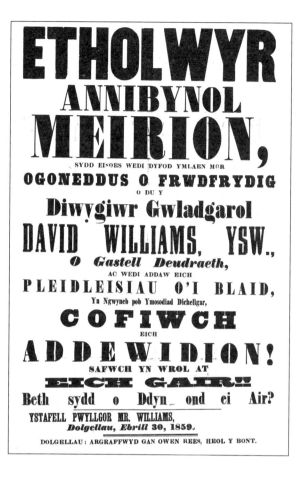

Tua Chastell Deudraeth

Pan fydd Glasdraeth a Deudraeth yn don,
y Gaseg glaf yn fwy nag afon
a'u hynysoedd oll yn gaethweision,
dim o 'mlaen ond ffrydiau melynion,

pan fydd Nanmor eto'n angori
ei dychryn rhwng Maes Gwŷr Llŷn a'r lli
a'n hawliau ar y tir dan heli
yn rhedeg dros gerrig y rhwydi,

pan fydd llanw uchel a gwely
afon Dyli'n rhy ddwfn i deulu
a chnul Penamser yn diferu
pob munudyn fesul deigryn du,

pan fydd sarnau'n cau dros obaith cudd
a lliw'r nos yn codi o'r ffosydd
a'r hen, hen wae'n corddi o'r newydd
ar y mannau rhwng môr a mynydd,

bydd castell imi bellach
wrth y borth am y Traeth Bach,
muriau tu draw i'r moresg
a thŵr hardd uwch gwarth yr hesg,

bydd ffrwyth y môr, ffrwyth y foryd – yno,
     cig o'r mynydd hefyd,
sawsiau'r haf a chaws o'r Rhyd, y llamwr
o ferw'r dŵr, ac ŵyn morfa Dwyryd,
hwyaid brau a physgod brith – gewynnau
     a gwinoedd yn draphlith,
bwrgwyniaid, bara gwenith o'r llain hir,
ffrwyth llwyni'r tir a chrancod Huw Erith,

ond yn fwy na dawn ei fwyd,
gwelaf ar ei graig aelwyd
yn gaerog gyda geiriau,
heyrn iaith yn ei chadarnhau.
Af yno o hyd ar fy nhaith
a hawlio'r Traeth Mawr eilwaith.

60

'Abereiddi'

'Feidir wledig ar y Garn'

Y daith i'r neithior

i Wil Bodnitho a Nia Bodwrdda, ddydd eu priodas

Mae cornchwiglan y glannau'n twtio'i blu,
yn hiraethu am adael traethau
a'u mynwent o wymonau'n hanner ffoi,
hanner troi'n y llanw a'r treiau;
mae marc y môr a'r cymerau arno
a'i hwyliau'n llwydo 'nglan y lleidiau.

· · ·

Blinaist tithau ar y balŵns teithio
ac ar y rheidrwydd i ddal i grwydro,
ar garafanèt ac îsijetio
i fannau eraill i swfenîrio,
pob kodac wedi'i bacio a phob llun
o hyd yr un, waeth pa gefndir yno.

Mae 'na lôn i blu aflonydd – y lôn
    i Lŷn a'i llawenydd,
i gaerau unig hen garennydd,
i gaeau hallt a gwâl y gelltydd;
lôn sy'n dod, rhwng haul a chawodydd,
adra i gau y gadwyn dragywydd.

Lôn i un yw'r lôn honno,
i un 'droith ei sawdl o'r dre
yn ôl i'r hen gorneli,
i un a glywodd enw'n
nrws y Meitar ers meitin,
enw'n ei lwnc ym Mhen-lan,
yn *geilidh* drwy ei galon
a Maes B drwy ddryms ei ben.

Wedi blino bodio'r byd
a byw ar orwelion bod,
mae lôn wrth d'ymyl o hyd
yn dy waed yn mynd a dod.

Arwain y mae o Farian-y-môr
yn groes i gobiau, am gae'r sgubor,
arwain rhwng yr ewyn a'r angor
eto i Lŷn, rhwng cloddiau'r telynor.

Mae'r Eifl yn ei grug, clychau'r bugail
a ffynnon fechan o dan y dail,
gwres yr haf drwy'r egroes a'r Efail
a chwrlid o wyddfid bob yn ail.

Tu hwnt i'r afon, a than donni
rhedynau a rhydau yr ei di,
drwy haidd aur, drwy glwstwr o dderi
a rhiw Awst yn rhosynnau drosti.

Tyrd â dy hiraeth dan Garn Saethon,
dal i'w yrru hyd wely Horon
nes y daw o'r gwregysau duon
i olau dydd uwch Neigwl a'i don.

Miwsig drwy gerrig, dros Bont y Go,
a ddaw atat yn hedydd eto,
heibio dy nyth ar dir Bodnitho
ac nid yw Llŷn wrth ei hun heno.

Yma'n symud
o ben draw'r byd
mae cerdd o Fôr Iwerddon:
taro o hyd mae mydr hon
yn ysgafn ar Borth Ysgo – daw drwy'r Swnt,
    drwy safn Ogof Morlo,
  daw â'i chwedl, twtsiad â cho',
  lledu dros Gastell Odo,
'hyd afon Daron y daw,
dy hawlio gyda'i halaw
un nos desog
yn Nhir na-nOg.

Rhwng Sarn a'r hen Garn, lle mae'r canu'n gaeth,
mae'r rhos a'r môr yn rhannu'r gerddoriaeth,
eneidiau'r tir hwn ac adar y traeth
yn dal y waun gyda'r un chwedloniaeth;
lôn i ddau i Lŷn a ddaeth – un daith fawr
a llwyd y wawr ar eu dealltwriaeth.

Cân yn cerdded o'r môr

i Edwin ac Einir, Gorffennaf 2002

Sŵn haf yng Nghamlas Nefyn, sŵn cynnes
    yn canu uwch dibyn
   Carreg y Llam: creigiau Llŷn
   yn wely i'r sacs hirfelyn;

fel awen o hen ynys – y daw hon,
    daw â'i hud dros ystlys
   Tre'r Ceiri a'r llwyni llus,
   daw fel gwên hyd Foel Gwnnus,

daw â'i hiraeth drwy Lwyndyrys, – daw'n sionc
    â'i dawns wyllt am Bemprys,
   daw fel cyffyrddiad dy fys
   ar delyn, mor hudolus

a hardd â Gorffennaf ei hun – a daw
    o'r diwedd y nodyn
   a wnaiff Pant-yr-hwch yn un
   â sŵn haf Camlas Nefyn.

Awdl i fardd fu'n bwyta cnau,
a stompiodd y car, heb ei lanhau

Un taclus a phaticlar
ar fy ngwir, wyf i o 'nghar:
mae swanc yn ei wîltrims o
a satin dros ei sêt o;
minnau yn ddreifar menig.

Aeth beirdd ar fodurdaith big:
Iwan oedd yn cael ei nap;
Mei Mac uwch problem y map;
Twm fel drwm yng nghlust yr ap.

Cwyno drwy Landeilo wnaeth y dyn
a bwledodd drwy Beula wedyn:
'Dwi isio brêc. Dwi isio pecyn
hallt o gnau. Dwi'n wyllt gan y newyn.'
Y rwdan caib – heb or-dynnu coes,
daliai i'n edliw hyd Lanidloes.

Yno: Spar. Rhyngof roedd sbês
a'i anghenion anghynnes.

Ennyd fu 'ngwên fodd bynnag;
hir y boen. Mewn cariyr bag
ar lin hwn ar lôn y nos:
dwshin pecyn pistashos.

Bwrw i'r rhain (heb eu rhannu) wnaeth-o;
    ffrothian, cnoi a llyncu;
    yn ddi-dor ar hyd ffyrdd du
    bwydodd fel llo mewn beudy.

Hwn yr unben, sy'n daer â'i ymbil:
'Byddwch weddus o'm Morys bach mil';
yntau, â'i gar yn fintej,
o dan hud dynion Niw-êj,
y gŵr hwn wnaeth fygyr-ôl
o fecso am fy Focsol
na'i hyfryd fat; aeth ati
i lunio croc o'm car i.

Disgyn wnâi ei blisgyn blêr
yn ddi-ofal, ddi-hwfer,
yn gawod o din gwiwer.

Nyth hamster, caetsh caneri
fin nos oedd fy sêt gefn i.
Mwnci oedd y bardd mewn car:
dyn witi, ond yn nytar:
aeth i'w ben, yn llythrennol,
y creu stomp i sicrhau stôl.

Marchnad

Â'r dre'n wyllt, rwy'n crwydro'n ôl
at flasau'r lliwiau lleol,
draw o dalp o wydr a dur
dienaid at stondinwyr
sy â'u masnach yn iachach,
sy'n troi'r caeau'n botiau bach
a rhoi i bobl natur eu bod
a'u diwylliant ar styllod.
Yn ei chocos a'i chacen,
gair o sgwrs a gwres ei gwên
a synnwyr ei chosynnau,
tre a'i gwreiddyn sy'n nesáu.

Seiriol Wyn a Chybi Felyn

Yn ôl y chwedl, mi fyddai Cybi (o Gaergybi) a Seiriol (o ben arall yr ynys: Penmon) yn cerdded i gyfarfod ei gilydd yn rheolaidd yng nghanol yr ynys wrth ffynnon Clorach ac mi wyddoch am y goel fod Cybi yn cael haul y bora a haul yr hwyr ar ei wyneb, felly mi fydda fo'n cael lliw haul, tra bod yr haul wastad ar war a chwcwll Seiriol, felly mi fydda Seiriol yn Wyn a Chybi yn Felyn. Wel, hanner y gwir ydi hynny - mi roedd y ddau yn perthyn i ddau enwad gwahanol a doedd dim posib iddyn nhw gytuno ar ba liw oedd yn bwysig yn eu crefydd nhw:

Mae Cybi Felyn, meddan nhw'n ferchetwr:
barbaciws a syrffio yw ei sgwrs,
efo'i hêlo anferth a'i ddannedd Holywood
a'i grys Ronaldo – wedi'i lofnodi, wrth gwrs.

Mae Seiriol Wyn yn ddyn Dulux dyddiol,
mae'n hwfro, tynnu llwch, a'i hoff gân
yw *Like a virgin*, Madonna:
mae hyd yn oed ei ddandryff yn lân.

Cadwyni aur yw pethau Cybi,
croesau'n danglo yn ei flew,
modrwyog, efo styds mewn llefydd annisgwyl,
a bydd ei dafod, ar brydiau, yn dew.

Gwynfydau'r mynydd yw pethau Seiriol;
mae'n credu mewn Persil; *bleach*; mewn poen;
mae'n nofio'n ewyn Ionawr, cysgu ar gwarts
ac mae'i eiria fel eira ar dy groen.

Tripiau, nid pererindodau yw hobi Cybi,
Golden Tours i Synni Ryl neu waeth;
mi aeth unwaith i Santiago de Compostela –
nid i weddïo, ond i orfadd ar y traeth.

Gwelw a nefolaidd iawn ydi Seiriol
fel alarch wedi blino byw,
ei wyneb yn dafell o fara cymun,
newydd weld llygadau Duw.

Mêl, marsipan a Golden Wyndyr Crisps
ydi bwyd Cybi, a phan fydd dan strès
mae'n smocio baco sy'n felys ei fwg
wedi'i smyglo ar yr HSS.

Angel ydi Seiriol yn ei Stori'r Geni;
mae ganddo ffetish gwisgo plu;
ei hoff ŵyl ydi Dydd Mercher y Lludw;
mae'i nefoedd yn wen, ei ddaear yn ddu.

Mae ffans Cybi'n cael eu galw'n Canêris,
mae'n cyflwyno Loteri Paradwys ar Sgai,
mae ffans Seiriol yn cael eu galw'n Ffêris,
dydi Caneuon Ffydd ddim digon trwm gan rai.

Ond ym mherfedd yr ynys, mae Ffynnon Clorach;
yno mae'r machlud yn cyfarfod y wawr,
a thawelwch a dyfnder y dŵr yn y ddaear
yno 'dan y derw, yw'r pethau mawr.

Ynys Dwynwen

Yna down o storm y don
yn ddall, dod rhwng gweddillion
cariad a'i longddrylliadau
dan y chwa hallt i'n iacháu.

Dod i ynys hin dyner
a'i phelydrau golau gwêr
yn y ffenest, a'i ffynnon
o obaith wedi'r hirdaith hon.

Daw, uwch creigiau'r dagrau du,
leuadau ei goleudy
a bydd briwiau dau yn dod
tua'i cheseiliau tywod.

Cyfarch prifardd Mathrafal

Gŵyr y byd, gyrru rhai beirdd
yn rhyfedd mae troi'n brifeirdd;
mae yma rai sy'n mwmial
pethau dwl, rwdwl-mi-ral
â nhw'u hunain; aiff rhai'n rhy
llwydaidd, ac mae rhai'n lledu'u
hadenydd uwchlaw dynion.
Ond erioed y gadair hon
yw'r eiddot, Twm; roeddet ti'n
brifardd heb ddim i'w brofi
cyn geiriau hael, cân a gwres,
cyn i hyn ddod i'th hanes.

Twm, â cherdd i bob tymor, – Twm ddeifiol,
    Twm ddifyr bob amser;
   Twm fflamau mewn geiriau gwêr,
   Twm y dannedd, Twm dyner.

Dy ennyd fwyn, Maldwyn dy fynwes,
sy'n mynnu canu pennill cynnes,
a gwely ysgall Gwales dy siarad
yn rhoi'r dilead ar dy lawes.

I'n neuadd wael, gwynt coch Cynddylan
ddaeth drwodd a diffodd yr hen dân,
ond drwy'r drws meddw, daw rŵan sŵn ffair:
direidi'r gair a dewrder y gân.

'Be wyt ti'n gwrando arno wrth deithio yn y car?'

Sgyrsiau yn fy nghlustiau oedd ynghlo
dan y swn mae'r mastiau'n ei seinio;
areithiau coll yn nharth y co' yn dod
a datod eu tafodau eto.

Cwestiynau plant, yn basiant, yn ben
bach cam, llygad soser a seren;
talent eu siarad heulwen – a cherddi
si-lwli-dewi dan leuad wen.

Mân rwdlan, yn glonc neu glebran gwlad
a'r iaith ei hunan yn chwerthiniad;
geiriau yn ddrws a goriad – llun llachar,
haid o adar mewn un dywediad.

Sibrydiad gan gariad, ddaw ar gân
yr ehedydd, yn wifren drydan
rhwng calonnau dau, yn dân ac yn goch
a sws foch ymhob neges fechan.

Enwau llannau, afonydd, llynnoedd;
chwedlau sydd ym mhridd yr hen ffriddoedd –
mae'n stori ni, mae'r hyn a oedd – yn lliw
ein henwau heddiw ar fynyddoedd.

Ein hiaith ar y daith sy'n fy nghlust i
a'r daith drwy'n hiaith, hel ein geiriau ni,
ydi byw wrth fynd o A i B.

Anfon gair

Clic: i'r e-byst fynd a dwad;
Blip: mae'r ffôn ar lôn yn siarad;
Cloch: mae'r ffacs yn dechrau murmur;
Stamp: a chynnig llaw mewn llythyr.

Ond er mor hawdd yw cyfathrebu
Mae 'Ei di drosta'i' 'n dal i dynnu
A'r gair a roir, drwy'i ganiatâd,
Yn sgrepan un sy'n teithio'r wlad.

Wrth hel fy mhac i lun o drefn,
Daw rhywun eto mlaen o'r cefn:
'Wyt ti'n nabod teulu'r Tyddyn?
Dwed bod Ruth yn cofio atyn.'

'Ei, mae 'na un ohonyn nhw yn dal yn fyw!'

Ar Lôn Pont Morgan
arafu rŵan mae cildonnau'r haf;
ar gychod pwer a phob jetsgi bêr
mae hi'n ddydd byrraf,
a'r criw marîn-blŵ:
mae'u halmanac nhw'n deud 'bod hi'n aeaf,
eto mae'r rhwyfau
tan bwysau'n breichiau:
mae'n Fihangel braf.

Ar Lôn Pont Morgan,
mae sgrech un wylan yn hollti'r niwloedd
fel 'tae   honno'n drist
nad oes 'na dwrist i'n harfordiroedd
ond morlo o Enlli
ac ambell shanti gan y croeswyntoedd,
dim ond hen liwiau
sy'n rhoi'n eu holau y darnau a oedd.

Ar Lôn Pont Morgan
mae'r golau'n rhuban dros sgotwrs Rabar;
does gwch yn y lli ond cychod rhwydi,
cychod yr adar,
ar lanw'n closio,
yn cynnull eto, er yr holl watwar,
er bod sawl llaethdy
efo'i fleinds yn ddu ar donnau'r ddaear.

Ar Lôn Pont Morgan mae'r trai heddiw'n wan
a'r troi'n wahanol,
heb un lliain traeth hawlio tiriogaeth yn y gwynt ar ôl.
Yn nhal yr afon mae rhywun yn sôn fod y tarth yn siôl
am y glannau hyn
a bod curiad gwyn
yn nwfn ei ganol.

'Solfach'

'Draenen ar y Preseli'